Gallimard Jeunesse Giboulées
sous la direction de Colline Faure-Poirée
et Hélène Quinquin

© Gallimard Jeunesse, 2015
ISBN : 978-2-07-066607-2
Dépôt légal : septembre 2015
Numéro d'édition : 280939
Loi n° 49956 du 16 juillet 1949
sur les publications destinées à la jeunesse
Imprimé en France par Pollina - L72315

ANTOON KRINGS

Lou P'tit Loup

à l'école des louveteaux

gallimard jeunesse giboulées

P'tit Loup a grandi. Il a l'âge d'entrer à l'école et de devenir un vrai louveteau. Pour l'occasion, sa maman lui a confectionné un bel uniforme et une casquette qui ressemble à celle de grand-papa loup.

Aussi beau que soit son uniforme,
Lou rechigne à s'habiller. Ici ça le gêne,
là ça le serre. Surtout il ne veut pas porter
la casquette de son grand-père, qui lui
rabat les oreilles en arrière et lui donne
un air ridicule.

– Ils vont tous se moquer de moi !

– Mais non, lui dit sa maman. Personne
ne va se moquer de toi.

– Je t'en supplie : pas la casquette !

– Arrête avec cette histoire ! D'abord,
ce n'est pas une casquette, c'est un béret,
et tous les louveteaux en portent un.

De toute façon, béret ou pas béret, P'tit
Loup a décidé de ne pas aller chez
les louveteaux.

– Pense à tout ce que tu vas rater : les jeux
de piste, les chasses au trésor, les feux
de camp et les nuits à la belle étoile. Toi qui
as toujours rêvé de dormir à la belle étoile !
Et les copains ? Tu as pensé aux copains ?
Je suis sûr que tu vas t'en faire plein.
P'tit Loup fait la moue.

– Si tu veux grandir, loupiot, tu dois vivre
avec les autres loups.

– Je n'ai pas envie de grandir, répond Lou.
Et puis je suis un loup solitaire !

P'tit Loup en est maintenant convaincu :
il n'a pas besoin des autres pour s'amuser.
Quelques pommes de pin lui suffisent pour
inventer un jeu, un jeu rien que pour lui,
pour lui tout seul.
À force, le jeu finit quand même par le lasser.
Il est temps d'en trouver un autre, plus drôle
et moins ennuyeux comme...

... comme de lancer ce bâton le plus loin possible. Le pauvre loupiot ignore que ce bâton indique une direction à suivre et que, sans cette direction, Marie-Lou la louvette est perdue.

– J'ai bien peur de m'être égarée, gémit-elle.

– Mais non, tu n'as pas à avoir peur, lui dit Lou. Moi aussi, je suis un louveteau et je vais t'aider à retrouver ton chemin. P'tit Loup n'a pas besoin de chercher bien longtemps des indices.

– Regarde là : une piste ! Et là, un peu plus loin, encore une autre !

Marie-Lou est ravie :

– À ce train-là, nous mettrons la main sur le trésor avant tous les autres !

– Un trésor ? s'écrie Lou. Tu as bien dit : un trésor ! Un vrai trésor ?

– Tout en or, dit Marie-Lou en riant.

P'tit Loup réfléchit.

– Moi, si j'avais un trésor, c'est là, oui c'est là que j'irais le cacher, dans le creux de cet arbre !

– Pourquoi pas ? C'est une très bonne cachette pour un trésor, dit Marie-Lou, en inspectant le creux de l'arbre.

– Alors tu le vois ? demande Lou.

– Je vois quelque chose qui brille comme... un gros sachet de bonbons !

– Le trésor ! s'écrie Lou. J'en étais sûr,
nous avons trouvé le trésor !

– Tiens, prends-le, et allons vite rejoindre
les autres, dit Marie-Lou. Je suis impatiente
de voir leur tête quand ils apprendront
que c'est nous qui l'avons découvert.

– J'espère que tu ne feras pas la tête
quand on se partagera le butin, répond
Lou en riant de bon cœur.

À la vue du trésor, les louveteaux se mettent à décrire de grands cercles joyeux.

– Des bonbons ! Des bonbons !

– Tenez, les copains, prenez tout ce que vous voulez. Il y en a assez pour tout le monde.

– Hourra ! Hourra ! Hip hip hip, hourra !

Pendant que les louveteaux se disputent bruyamment le butin, Marie-Lou chuchote à l'oreille de Lou :

– Il paraît qu'on va faire un feu de camp et dormir à la belle étoile.

– J'ai toujours rêvé de dormir à la belle étoile, dit Lou.

– Alors tu restes avec moi. Enfin... avec nous !

– Bien sûr que je reste avec toi. Enfin... avec vous ! Où veux-tu que j'aille ? Je ne suis pas un loup solitaire tout de même.

– Je t'aime, P'tit Loup.

– Moi aussi, je t'aime, Marie-Lou.

– Quand on sera grands, on se mariera.

– Oui, nous nous marierons, dit P'tit Loup,
qui s'est enfin décidé à grandir.